iEdutainments Limited
The Old Post House
Radford Road
Flyford Flavell
Worcestershire
WR7 4DL
England

Company Number: 7441490
First Edition: iEdutainments Ltd 2014
Copyright © Rory Ryder 2014
Copyright © Illustrations Rory Ryder 2014
Copyright © Coloured verb tables Rory Ryder 2014

English Version

Illustrated by Andy Garnica

LEARNBOTS®
LEARN 101 JERRIAIS VERBS
IN 1 DAY
with the LearnBots

by Rory Ryder

Illustrations Andy Garnica

Published by:

iEdutainments Ltd.

Introduction

Memory

When learning a language, we often have problems remembering the (key) verbs; it does not mean we have totally forgotten them. It just means that we can't recall them at that particular moment. So this book has been carefully designed to help you recall the (key) verbs and their conjugations instantly.

The Research

Research has shown that one of the most effective ways to remember something is by association. Therefore we have hidden the verb (keyword) into each illustration to act as a retrieval cue that will then stimulate your long-term memory. This method has proved 7 times more effective than just passively reading and responding to a list of verbs.

Beautiful Illustrations

The LearnBot illustrations have their own mini story, an approach beyond conventional verb books. To make the most of this book, spend time with each picture and become familiar with everything that is happening. The Pictures involve the characters, Verbito, Verbita, Cyberdog and the BeeBots, with hidden clues that give more meaning to each picture. Some pictures are more challenging than others, adding to the fun but, more importantly, aiding the memory process.

Keywords

We have called the infinitive the (keyword) to refer to its central importance in remembering the 36 ways it can be used. Once you have located the appropriate keyword and made the connection with the illustration, you can then start to learn each colour-tense.

Colour-Coded Verb Tables

The verb tables are designed to save you further valuable time by focusing all your attention on one color tense allowing you to make immediate connections between the subject and verb. Making this association clear and simple from the beginning will give you more confidence to start speaking the language.

LearnBots Animations

Each picture in this book can also be viewed as an animation for FREE. Simply visit our animations link on www.LearnBots.com

Master the Verbs

Once your confident with each colour-tense, congratulate yourself because you will have learnt over 3600 verb forms, an achievement that takes some people years to master!

So is it really possible to "Learn 101 Verbs in 1 Day"?

Well, the answer to this is yes! If you carfully look at each picture and make the connection and see the (keyword) you should be able to remember the 101 verb infinitives in just one day. Of course remembering all the conjugations is going to take you longer but by at least knowing the most important verbs you can then start to learn each tense in your own time.

Reviews

"This stimulating verb book, hitherto a contradiction in terms, goes a long way to dispelling the fear of putting essential grammar at the heart of language learning at the early and intermediate stages.

Particularly at the higher level of GCSE speaking and writing, where many students find themselves at a loss for a sufficient range of verbs to express what they were/ have been/ are and will be doing, these books enhances their conviction to express themselves richly, with subtlety and accuracy.

More exciting still is the rapid progress with which new (Year 8) learners both assimilate the core vocabulary and seek to speak and write about someone other than 'I'.

The website is outstanding in its accessibility and simplicity for students to listen to the recurrent patterns of all 101 verbs from someone else's voice other than mine is a significant advantage. I anticipate a more confident, productive and ambitious generation of linguists will benefit from your highly effective product."

Yours sincerely

Andy Smith, Head of Spanish, Salesian College

After a number of years in which educational trends favoured oral fluency over grammatical accuracy, it is encouraging to see a book which goes back to the basics and makes learning verbs less daunting and even easy. At the end of the day, verb patterns are fundamental in order to gain linguistic precision and sophistication, and thus should not be regarded as a chore but as necessary elements to achieve competence in any given language.

The colour coding in this book makes for quick identification of tenses, and the running stories provided by the pictures are an ideal mnemonic device in that they help students visualize each word. I would heartily recommend this fun verb book for use with pupils in the early stages of language learning and for revision later on in their school careers.

It can be used for teaching but also, perhaps more importantly, as a tool for independent study. The website stresses this fact as students can comfortably check the pronunciation guide from their own homes. This is a praiseworthy attempt to make Spanish verbs more easily accessible to every schoolboy and girl in the country.

Dr Josep-Lluís González Medina Head of Spanish
Eton College

We received the book in January with a request to review it - well, a free book is always worth it. We had our apprehensions as to how glitzy can a grammar book be? I mean don't they all promise to improve pupils' results and engage their interest?

So, imagine my shock when after three lessons with a mixed ability year 10 group, the majority of pupils could write the verb 'tener' in three tenses- past, present and future. It is the way this book colour codes each tense which makes it easy for the pupils to learn. With this success, I transferred the information onto PowerPoint and presented it at the start of each class as the register was taken, after which pupils were asked for the English of each verb. This again showed the majority of pupils had taken in the information.

I sent a letter home to parents explaining what the book entailed and prepared a one-off sample lesson for parents to attend. I had a turnout of 20 parents who were amazed at how easy the book was to use. In March, the book was put to the test of the dreaded OFSTED inspector. Unexpectedly, she came into my year 10 class as they were studying the pictures during the roll call - she looked quite stunned as to how many of the verbs the pupils were able to remember. I proceeded with my lesson and during the feedback session she praised this method and thought it was the way forward in MFL teaching.

Initially we agreed to keep the book for year 10's but year 11 was introduced to the book at Easter as a revision tool. They were tested at the start of each lesson on a particular tense and if unsure were given 20 seconds to concentrate on the coloured verb table and then reciting it. There was a remarkable improvement in each pupils progress.- I only wish we had have had access to the book before Christmas in order to aid them with their coursework- But with this said the school achieved great results. In reviewing the book I would say "No more boring grammar lessons!!! This book is a great tool to learning verbs through excellent illustrations. A must-have for all language learners."

Footnote:

We have now received the new format French and the students are finding it even easier to learn the verbs and we now have more free time.

Lynda McTier, Head of Spanish Lipson Community College

www.learnbots.com

	Present	Imperfect	Past	Future	Conditional	Present Perfect
I	bliouque	blioutchais	blioutchis	bliouqu'thai	bliouqu'thais	ai blioutchi
You	bliouque	blioutchais	blioutchis	bliouqu'thas	bliouqu'thais	as blioutchi
He/she/it	bliouque	blioutchait	blioutchit	bliouqu'tha	bliouqu'thait	a blioutchi
We	blioutchons	blioutchêmes	blioutchînmes	bliouqu'thons	bliouqu'thêmes	avons blioutchi
You	blioutchiz	blioutchêtes	blioutchîtes	bliouqu'thez	bliouqu'thêtes	avez blioutchi
They	bliouquent	blioutchaient	blioutchîtent	bliouqu'thont	bliouqu'thaient	ont blioutchi

www.learnbots.com

	Present	Imperfect	Past	Future	Conditional	Present Perfect
I	arrive	arrivais	arrivis	arriv'thai	arriv'thais	sis arrivé
You	arrive	arrivais	arrivis	arriv'thas	arriv'thais	es arrivé
He/she/it	arrive	arrivait	arrivit	arriv'tha	arriv'thait	est arrivé
We	arrivons	arrivêmes	arrivînmes	arriv'thons	arriv'thêmes	sommes arrivés
You	arrivez	arrivêtes	arrivîtes	arriv'thez	arriv'thêtes	êtes arrivés
They	arrivent	arrivaient	arrivîtent	arriv'thont	arriv'thaient	sont arrivés

www.learnbots.com

	Present	Imperfect	Past	Future	Conditional	Present Perfect
I	d'mande	d'mandais	d'mandis	d'mand'dai	d'mand'dais	ai d'mandé
You	d'mande	d'mandais	d'mandis	d'mand'das	d'mand'dais	as d'mandé
He/she/it	d'mande	d'mandait	d'mandit	d'mand'da	d'mand'dait	a d'mande
We	d'mandons	d'mandêmes	d'mandînmes	d'mand'dons	d'mand'dêmes	avons d'mande
You	d'mandez	d'mandêtes	d'mandîtes	d'mand'dez	d'mand'dêtes	avez d'mande
They	d'mandent	d'mandaient	d'mandîtent	d'mand'dont	d'mand'daient	ont d'mande

www.learnbots.com

	Present	Imperfect	Past	Future	Conditional	Present Perfect
I	sis	tais	fus	s'sai	s'sais	ai 'té
You	es	´tais	fus	s'sas	s'sais	as 'té
He/she/it	est	´tait	fut	s'sa	s'sait	a 'té
We	sommes	têmes	feûnmes	s'sons	séthêmes	avons 'té
You	ous êtes	´têtes	fûtes	s'sez	séthêtes	avez 'té
They	sont	taient	fûtent	s'sont	s'saient	ont 'te

www.learnbots.com

	Present	Imperfect	Past	Future	Conditional	Present Perfect
I	sis	tais	fus	s'sai	s'sais	ai 'té
You	es	'tais	fus	s'sas	s'sais	as 'té
He/she/it	est	'tait	fut	s'sa	s'sait	a 'té
We	sommes	têmes	feûnmes	s'sons	séthêmes	avons 'té
You	ous êtes	'têtes	fûtes	s'sez	séthêtes	avez 'té
They	sont	taient	fûtent	s'sont	s'saient	ont 'te

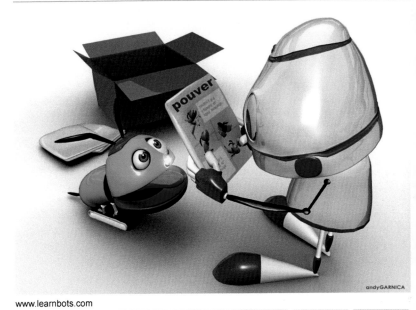

www.learnbots.com

	Present	Imperfect	Past	Future	Conditional	Present Perfect
I	peux	pouvais	pus	pouôrrai	pouôrrais	ai peu
You	peux	pouvais	pus	pouôrras	pouôrrais	as peu
He/she/it	peut	pouvait	put	pouôrra	pouôrrait	a peu
We	pouvons	pouvêmes	peûnmes	pouôrrons	pouôrrêmes	avons peu
You	pouvez	pouvêtes	pûtes	pouôrrez	pouôrrêtes	avez peu
They	peuvent	pouvaient	pûtent	pouôrront	pouôrraient	ont peu

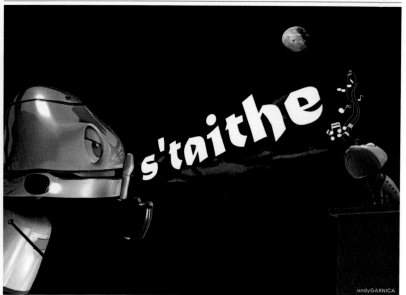

	Present	Imperfect	Past	Future	Conditional	Present Perfect
I	m'tai	m'taîthais	m'tus	m'tèrrai	m'tèrrais	m'sis teu
You	t'tai	t'taîthais	t'tus	t'tèrras	t'tèrrais	t'es teu
He/she/it	s'tait	s'taîthait	s'tut	s'tèrra	s'tèrrait	s'est teu
We	taîthons	taîthêmes	teûnmes	tèrrons	tèrrêmes	sommes teus
You	taîthez	taîthêtes	teûtes	tèrrez	tèrrêtes	êtes teus
They	taîthent	taîthaient	tûtent	tèrront	tèrraient	sont teus

andyGARNICA

	Present	Imperfect	Past	Future	Conditional	Present Perfect
I	apporte	apportais	apportis	apportéthai	apportéthais	ai apporté
You	apporte	apportais	apportis	apportéthas	apportéthais	as apporté
He/she/it	apporte	apportait	apportit	apportétha	apportéthait	a apporté
We	apportons	apportêmes	apportînmes	apportéthons	apportéthêmes	avons apporté
You	apportez	apportêtes	apportîtes	apportéthez	apportéthêtes	avez apporté
They	apportent	apportaient	apportîtent	apportéthont	apportéthaient	ont apporté

andyGARNiCA

www.learnbots.com

	Present	Imperfect	Past	Future	Conditional	Present Perfect
I	bâtis	bâtissais	bâtis	bâtithai	bâtithais	ai bâti
You	bâtis	bâtissais	bâtis	bâtithas	bâtithais	as bâti
He/she/it	bâtit	bâtissait	bâtit	bâtitha	bâtithait	a bâti
We	bâtissons	bâtissêmes	bâtissînmes	bâtithons	bâtithêmes	avons bâti
You	bâtissiz	bâtissêtes	bâtîtes	bâtithez	bâtithêtes	avez bâti
They	bâtissent	bâtissaient	bâtîtent	bâtithont	bâtithaient	ont bâti

www.learnbots.com

	Present	Imperfect	Past	Future	Conditional	Present Perfect
I	acate	acatais	acatis	acat'tai	acat'tais	ai acaté
You	acate	acatais	acatis	acat'tas	acat'tais	as acaté
He/she/it	acate	acatait	acatit	acat'ta	acat'tait	a acaté
We	acatons	acatêmes	acatînmes	acat'tons	acat'têmes	avons acaté
You	acatez	acatêtes	acatîtes	acat'tez	acat'têtes	avez acaté
They	acatent	acataient	acatîtent	acat'tont	acat'taient	ont acate

andyGARNICA

www.learnbots.com

	Present	Imperfect	Past	Future	Conditional	Present Perfect
I	appelle	app'lais	app'lis	appell'lai	appell'lais	ai app'lé
You	appelle	app'lais	app'lis	appell'las	appell'lais	as app'lé
He/she/it	appelle	app'lait	app'lit	appell'la	appell'lait	a app'lé
We	app'lons	app'lêmes	app'lînmes	appell'lons	appell'lêmes	avons app'lé
You	app'lez	app'lêtes	app'lîtes	appell'lez	appell'lêtes	avez app'lé
They	appellent	app'laient	app'lîtent	appell'lont	appell'laient	ont app'le

www.learnbots.com

	Present	Imperfect	Past	Future	Conditional	Present Perfect
I	porte	portais	portis	portéthai	portéthais	ai porté
You	porte	portais	portis	portéthas	portéthais	as porté
He/ she/it	porte	portait	portit	portétha	portéthait	a porté
We	portons	portêmes	portînmes	portéthons	portéthêmes	avons porté
You	portez	portêtes	portîtes	portéthez	portéthêtes	avez porté
They	portent	portaient	portîtent	portéthont	portéthaient	ont porte

www.learnbots.com

	Present	Imperfect	Past	Future	Conditional	Present Perfect
I	change	changeais	changis	chang'geai	chang'geais	ai changi
You	change	changeais	changis	chang'geas	chang'geais	as changi
He/she/it	change	changeait	changit	chang'gea	chang'geait	a changi
We	changeons	changêmes	changînmes	chang'geons	chang'gêmes	avons changi
You	changiz	changêtes	changîtes	chang'gez	chang'gêtes	avez changi
They	changent	changeaient	changîtent	chang'geont	chang'geaient	ont changi

	Present	Imperfect	Past	Future	Conditional	Present Perfect
I	nettis	nettissais	nettis	nettithai	nettithais	ai netti
You	nettis	nettissais	nettis	nettithas	nettithais	as netti
He/she/it	nettit	nettissait	nettit	nettitha	nettithait	a netti
We	nettissons	nettissêmes	nettissînmes	nettithons	nettithêmes	avons netti
You	nettissiz	nettissêtes	nettîtes	nettithez	nettithêtes	avez netti
They	nettissent	nettissaient	nettîtent	nettithont	nettithaient	ont netti

www.learnbots.com

	Present	Imperfect	Past	Future	Conditional	Present Perfect
I	freunme	freunmais	freunmis	freunm'thai	freunm'thais	ai freunmé
You	freunme	freunmais	freunmis	freunm'thas	freunm'thais	as freunmé
He/she/it	freunme	freunmait	freunmit	freunm'tha	freunm'thait	a freunmé
We	freunmons	freunmêmes	freunmînmes	freunm'thons	freunm'thêmes	avons freunmé
You	freunmez	freunmêtes	freunmîtes	freunm'thez	freunm'thêtes	avez freunmé
They	freunment	freunmaient	freunmîtent	freunm'thont	freunm'thaient	ont freunmé

www.learnbots.com

	Present	Imperfect	Past	Future	Conditional	Present Perfect
I	dêmêle	dêmêlais	dêmêlis	dêmêl'lai	dêmêl'lais	ai dêmêlé
You	dêmêle	dêmêlais	dêmêlis	dêmêl'las	dêmêl'lais	dêmêl'lait
He/she/it	as dêmêlé	dêmêle	dêmêlait	dêmêlit	dêmêl'la	dêmêl'lêmes
We	a dêmêlé	dêmêlons	dêmêlêmes	dêmêlînmes	dêmêl'lons	dêmêl'lêtes
You	avons dêmêlé	dêmêlez	dêmêlêtes	dêmêlîtes	dêmêl'lez	dêmêl'laient
They	avez dêmêlé	dêmêlent	dêmêlaient	dêmêlîtent	dêmêl'lont	ont dêmêlé

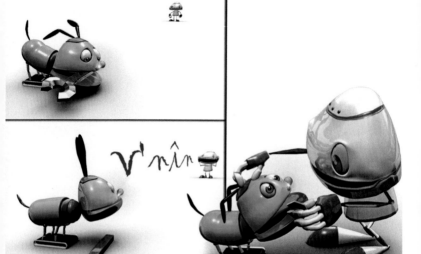

www.learnbots.com

	Present	Imperfect	Past	Future	Conditional	Present Perfect
I	veins	v'nais	vîns	veindrai	veindrais	sis v'nu
You	veins	v'nais	vîns	veindras	veindrais	es v'nu
He/she/it	veint	v'nait	vînt	veindra	veindrait	est v'nu
We	v'nons	v'nêmes	vînmes	veindrons	veindrêmes	sommes v'nus
You	v'nez	v'nêtes	vîntes	veindrez	veindrêtes	êtes v'nus
They	veinnent	v'naient	vîntent	veindront	veindraient	sont v'nus

www.learnbots.com

	Present	Imperfect	Past	Future	Conditional	Present Perfect
I	couque	coutchais	coutchis	couqu'thai	couqu'thais	ai coutchi
You	couque	coutchais	coutchis	couqu'thas	couqu'thais	as coutchi
He/she/it	couque	coutchait	coutchit	couqu'tha	couqu'thait	a coutchi
We	coutchons	coutchêmes	coutchînmes	couqu'thons	couqu'thêmes	avons coutchi
You	coutchiz	coutchêtes	coutchîtes	couqu'thez	couqu'thêtes	avez coutchi
They	couquent	coutchaient	coutchîtent	couqu'thont	couqu'thaient	ont coutchi

1,2,3,4,5...

www.learnbots.com

	Present	Imperfect	Past	Future	Conditional	Present Perfect
I	caltchule	caltchulais	caltchulis	caltchul'lai	caltchul'lais	ai caltchulé
You	caltchule	caltchulais	caltchulis	caltchul'las	caltchul'lais	as caltchulé
He/ she/it	caltchule	caltchulait	caltchulit	caltchul'la	caltchul'lait	a caltchulé
We	caltchulons	caltchulêmes	caltchulînmes	caltchul'lons	caltchul'lêmes	avons caltchulé
You	caltchulez	caltchulêtes	caltchulîtes	caltchul'lez	caltchul'lêtes	avez caltchule
They	caltchulent	caltchulaient	caltchulîtent	caltchul'lont	caltchul'laient	ont caltchule

www.learnbots.com

	Present	Imperfect	Past	Future	Conditional	Present Perfect
I	renvèrque	renvèrtchais	renvèrtchis	renvèrquéthai	renvèrquéthais	ai renvèrtchi
You	renvèrque	renvèrtchais	renvèrtchis	renvèrquéthas	renvèrquéthais	as renvèrtchi
He/she/it	renvèrque	renvèrtchait	renvèrtchit	renvèrquétha	renvèrquéthait	a renvèrtchi
We	renvèrtchons	renvèrtchêmes	renvèrtchînmes	renvèrquéthons	renvèrquéthêmes	avons renvèrtchi
You	renvèrtchiz	renvèrtchêtes	renvèrtchîtes	renvèrquéthez	renvèrquéthêtes	avez renvèrtchi
They	renvèrquent	renvèrtchaient	renvèrtchîtent	renvèrquéthont	renvèrquéthaient	ont renvèrtchi

www.learnbots.com

	Present	Imperfect	Past	Future	Conditional	Present Perfect
I	graie	griyais	griyis	graiethai	graiethais	ai grée
You	graie	griyais	griyis	graiethas	graiethais	as grée
He/she/it	graie	griyait	griyit	graietha	graiethait	a grée
We	griyons	griyêmes	griyînmes	graiethons	graiethêmes	avons grée
You	griyiz	griyêtes	griyîtes	graiethez	graiethêtes	avez grée
They	graient	griyaient	griyîtent	graiethont	graiethaient	ont grée

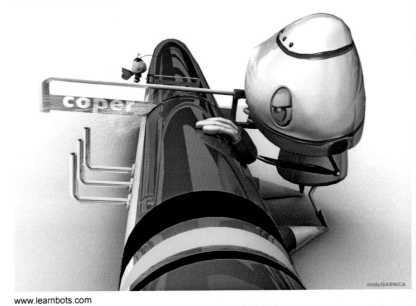

www.learnbots.com

	Present	Imperfect	Past	Future	Conditional	Present Perfect
I	cope	copais	copis	cop'thai	cop'thais	ai copé
You	cope	copais	copis	cop'thas	cop'thais	as copé
He/ she/it	cope	copait	copit	cop'tha	cop'thait	a copé
We	copons	copêmes	copînmes	cop'thons	cop'thêmes	avons copé
You	copez	copêtes	copîtes	cop'thez	cop'thêtes	avez copé
They	copent	copaient	copîtent	cop'thont	cop'thaient	ont cope

www.learnbots.com

	Present	Imperfect	Past	Future	Conditional	Present Perfect
I	danse	dansais	dansis	dans'sai	dans'sais	ai dansé
You	danse	dansais	dansis	dans'sas	dans'sais	as dansé
He/she/it	danse	dansait	dansit	dans'sa	dans'sait	a dansé
We	dansons	dansêmes	dansînmes	dans'sons	dans'sêmes	avons dansé
You	dansez	dansêtes	dansîtes	dans'sez	dans'sêtes	avez dansé
They	dansent	dansaient	dansîtent	dans'sont	dans'saient	ont dansé

andyGARNICA

www.learnbots.com

	Present	Imperfect	Past	Future	Conditional	Present Perfect
I	décide	décidais	décidis	décid'dai	décid'dais	ai décidé
You	décide	décidais	décidis	décid'das	décid'dais	as décidé
He/she/it	décide	décidait	décidit	décid'da	décid'dait	a décidé
We	décidons	décidêmes	décidînmes	décid'dons	décid'dêmes	avons décidé
You	décidez	décidêtes	décidîtes	décid'dez	décid'dêtes	avez décidé
They	décident	décidaient	décidîtent	décid'dont	décid'daient	ont décide

www.learnbots.com

	Present	Imperfect	Past	Future	Conditional	Present Perfect
I	dirige	dirigeais	dirigis	dirig'geai	dirig'geai	ai dirigi
You	dirige	dirigeais	dirigis	dirig'geas	dirig'geas	as dirigi
He/she/it	dirige	dirigeait	dirigit	dirig'gea	dirig'gea	a dirigi
We	dirigeons	dirigêmes	diriginmes	dirig'geons	dirig'geons	avons dirigi
You	dirigiz	dirigêtes	dirigîtes	dirig'gez	dirig'gez	avez dirigi
They	dirigent	dirigeaient	dirigîtent	dirig'geont	dirig'geont	ont dirigi

www.learnbots.com

	Present	Imperfect	Past	Future	Conditional	Present Perfect
I	rêve	rêvais	rêvis	rêv'thai	rêv'thais	ai rêvé
You	rêve	rêvais	rêvis	rêv'thas	rêv'thais	as rêvé
He/she/it	rêve	rêvait	rêvit	rêv'tha	rêv'thait	a rêvé
We	rêvons	rêvêmes	rêvînmes	rêv'thons	rêv'thêmes	avons rêvé
You	rêvez	rêvêtes	rêvîtes	rêv'thez	rêv'thêtes	avez rêvé
They	rêvent	rêvaient	rêvîtent	rêv'thont	rêv'thaient	ont rêvé

www.learnbots.com

	Present	Imperfect	Past	Future	Conditional	Present Perfect
I	bai	b'vais	bus	béthai	béthais	ai bu
You	bai	b'vais	bus	béthas	béthais	as bu
He/she/it	bait	b'vait	but	bétha	béthait	a bu
We	baivons	b'vêmes	beûnmes	béthons	béthêmes	avons bu
You	baivez	b'vêtes	bûtes	b'thez	b'thêtes	avez bu
They	baivent	b'vaient	bûtent	béthont	béthaient	ont bu

www.learnbots.com

	Present	Imperfect	Past	Future	Conditional	Present Perfect
I	cache	cachais	cachis	cach'chai	cach'chais	ai cachi
You	cache	cachais	cachis	cach'chas	cach'chais	as cachi
He/she/it	cache	cachait	cachit	cach'cha	cach'chait	a cachi
We	cachons	cachêmes	cachînmes	cach'chons	cach'chêmes	avons cachi
You	cachiz	cachêtes	cachîtes	cach'chez	cach'chêtes	avez cachi
They	cachent	cachaient	cachîtent	cach'chont	cach'chaient	ont cachi

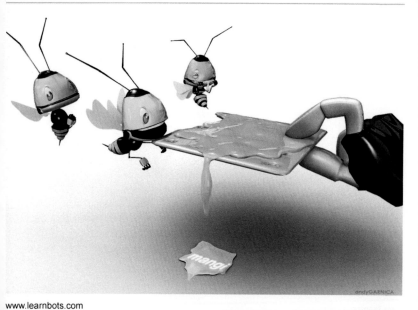

www.learnbots.com

	Present	Imperfect	Past	Future	Conditional	Present Perfect
I	mange	mangeais	mangis	mang'geai	mang'geais	ai mangi
You	mange	mangeais	mangis	mang'geas	mang'geais	as mangi
He/she/it	mange	mangeait	mangit	mang'gea	mang'geait	a mangi
We	mangeons	mangêmes	mangînmes	mang'geons	mang'gêmes	avons mangi
You	mangiz	mangêtes	mangîtes	mang'gez	mang'gêtes	avez mangi
They	mangent	mangeaient	mangîtent	mang'geont	mang'geaient	ont mangi

www.learnbots.com

	Present	Imperfect	Past	Future	Conditional	Present Perfect
I	entre	entrais	entris	entréthai	entréthais	sis entré
You	entre	entrais	entris	entréthas	entréthais	es entré
He/she/it	entre	entrait	entrit	entrétha	entréthait	est entré
We	entrons	entrêmes	entrînmes	entréthons	entréthêmes	sommes entrés
You	entrez	entrêtes	entrîtes	entréthez	entréthêtes	êtes entrés
They	entrent	entraient	entrîtent	entréthont	entréthaient	sont entrés

www.learnbots.com

	Present	Imperfect	Past	Future	Conditional	Present Perfect
I	tchai	tchiyais	tchis	tchèrrai	tchèrrais	ai tchée
You	tchai	tchiyais	tchis	tchèrras	tchèrrais	as tchée
He/she/it	tchait	tchiyait	tchit	tchèrra	tchèrrait	a tchée
We	tchiyons	tchiyêmes	tchînmes	tchèrrons	tchèrrêmes	avons tchée
You	tchiyiz	tchiyêtes	tchîtes	tchèrrez	tchèrrêtes	avez tchée
They	tchaient	tchiyaient	tchîtent	tchèrront	tchèrraient	ont tchée

andyGARNICA

www.learnbots.com

	Present	Imperfect	Past	Future	Conditional	Present Perfect
I	m'bats	m'battais	m'battis	m'battrai	m'battrais	m'sis battu
You	t'bats	t'battais	t'battis	t'battras	t'battrais	t'es battu
He/she/it	s'bat	s'battait	s'battit	s'battra	s'battrait	s'est battu
We	nos battons	nos battêmes	nos battînmes	nos battrons	nos battrêmes	nos sommes battus
You	vos battez	vos battêtes	vos battîtes	vos battrez	vos battrêtes	vos etes battus
They	lus battent	lus battaient	lus battîtent	lus battront	lus battraient	lus sont battus

www.learnbots.com

	Present	Imperfect	Past	Future	Conditional	Present Perfect
I	trouve	trouvais	trouvis	trouv'thai	trouv'thais	ai trouvé
You	trouve	trouvais	trouvis	trouv'thas	trouv'thais	as trouvé
He/she/it	trouve	trouvait	trouvit	trouv'tha	trouv'thait	a trouvé
We	trouvons	trouvêmes	trouvînmes	trouv'thons	trouv'thêmes	avons trouvé
You	trouvez	trouvêtes	trouvîtes	trouv'thez	trouv'thêtes	avez trouvé
They	trouvent	trouvaient	trouvîtent	trouv'thont	trouv'thaient	ont trouvé

	Present	Imperfect	Past	Future	Conditional	Present Perfect
I	finnis	finnissais	finnis	finnithai	finnithais	ai finni
You	finnis	finnissais	finnis	finnithas	finnithais	as finni
He/she/it	finnit	finnissait	finnit	finnitha	finnithait	a finni
We	finnissons	finnissêmes	finnissînmes	finnithons	finnithêmes	avons finni
You	finnissiz	finnissêtes	finnîtes	finnithez	finnithêtes	avez finni
They	finnissent	finnissaient	finnîtent	finnithont	finnithaient	ont finni

andyGARNICA

	Present	Imperfect	Past	Future	Conditional	Present Perfect
I	sie	siêthais	sius	siéthai	siéthais	ai sieu
You	sie	siêthais	sius	siéthas	siéthais	as sieu
He/she/it	siet	siêthait	siut	siétha	siéthait	a sieu
We	siêthons	siêthêmes	sieûnmes	siéthons	siéthêmes	avons sieu
You	siêthiz	siêthêtes	siûtes	siéthez	siéthêtes	avez sieu
They	siêthent	siêthaient	siûtent	siéthont	siéthaient	ont sieu

www.learnbots.com

	Present	Imperfect	Past	Future	Conditional	Present Perfect
I	d'fends	d'fendais	d'fendis	d'fendrai	d'fendrais	ai d'fendu
You	d'fends	d'fendais	d'fendis	d'fendras	d'fendrais	as d'fendu
He/ she/it	d'fend	d'fendait	d'fendit	d'fendra	d'fendrait	a d'fendu
We	d'fendons	d'fendêmes	d'fendînmes	d'fendrons	d'fendrêmes	avons d'fendu
You	d'fendez	d'fendêtes	d'fendîtes	d'fendrez	d'fendrêtes	avez d'fendu
They	d'fendent	d'fendaient	d'fendîtent	d'fendront	d'fendraient	ont d'fendu

www.learnbots.com

	Present	Imperfect	Past	Future	Conditional	Present Perfect
I	oublie	oubliais	oubliyis	oubliêthai	oubliêthais	ai oublié
You	oublie	oubliais	oubliyis	oubliêthas	oubliêthais	as oublié
He/she/it	oublie	oubliait	oubliyit	oubliêtha	oubliêthait	a oublié
We	oublions	oubliêmes	oubliyînmes	oubliêthons	oubliêthêmes	avons oublié
You	oubliez	oubliêtes	oubliyîtes	oubliêthez	oubliêthêtes	avez oublié
They	oublient	oubliaient	oubliyîtent	oubliêthont	oubliêthaient	ont oublié

	Present	Imperfect	Past	Future	Conditional	Present Perfect
I	m'habil'ye	m'habilyais	m'habilyis	m'habil'lai	m'habil'lais	m'sis habilyi
You	t'habil'ye	t'habilyais	t'habilyis	t'habil'las	t'habil'lais	t'es habilyi
He/ she/it	s'habil'ye	s'habilyait	s'habilyit	s'habil'la	s'habil'lait	s'est habilyi
We	nos habilyons	nos habilyêmes	nos habilyînmes	nos habil'lons	nos habil'lêmes	nos sommes habilyis
You	vos habilyiz	vos habilyêtes	vos habilyîtes	vos habil'lez	vos habil'lêtes	vos etes habilyis
They	lus habilyent	lus habilyaient	lus habilyîtent	lus habil'lont	lus habil'laient	lus sont habilyis

www.learnbots.com

	Present	Imperfect	Past	Future	Conditional	Present Perfect
I	m'mathie	m'mathiais	m'mathiyis	m'mathiêthai	m'mathiêthais	m'sis mathie
You	t'mathie	t'mathiais	t'mathiyis	t'mathiêthas	t'mathiêthais	t'es mathié
He/ she/it	s'mathie	s'mathiait	s'mathiyit	s'mathiêtha	s'mathiêthait	s'est mathié
We	nos mathions	nos mathiêmes	nos mathiyînmes	nos mathiêthons	nos mathiêthêmes	nos mathiés
You	vos mathiez	vos mathiêtes	vos mathiyîtes	vos mathiêthez	vos mathiêthêtes	vos mathiés
They	lus mathient	lus mathiaient	lus mathiyîtent	lus mathiêthont	lus mathiêthaient	lus mathiés

www.learnbots.com

	Present	Imperfect	Past	Future	Conditional	Present Perfect
I	donne	donnais	donnis	donn'nai	donn'nais	ai donné
You	donne	donnais	donnis	donn'nas	donn'nais	as donné
He/she/it	donne	donnait	donnit	donn'na	donn'nait	a donné
We	donnons	donnêmes	donnînmes	donn'nons	donn'nêmes	avons donné
You	donnez	donnêtes	donnîtes	donn'nez	donn'nêtes	avez donné
They	donnent	donnaient	donnîtent	donn'nont	donn'naient	ont donne

andyGARNICA

www.learnbots.com

	Present	Imperfect	Past	Future	Conditional	Present Perfect
I	vais	allais	allis	îthai	îthais	ai 'té
You	vais	allais	allis	îthas	îthais	as 'té
He/ she/it	va	allait	allit	îtha	îthait	a 'té
We	allons	allêmes	allînmes	îthons	îthêmes	avons 'té
You	allez	allêtes	allîtes	îthez	îthêtes	avez 'té
They	vont	allaient	allîtent	îthont	îthaient	ont 'te

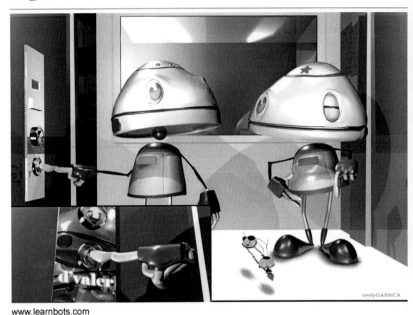

www.learnbots.com

	Present	Imperfect	Past	Future	Conditional	Present Perfect
I	dévale	dévalais	dévalis	déval'lai	déval'lais	ai d'valé
You	d'vale	d'valais	d'valis	d'val'las	d'val'lais	as d'valé
He/she/it	d'vale	d'valait	d'valit	d'val'la	d'val'lait	a d'valé
We	dévalons	dévalêmes	dévalînmes	déval'lons	déval'lêmes	avons d'valé
You	d'valez	d'valêtes	d'valîtes	d'val'lez	d'val'lêtes	avez d'valé
They	d'valent	d'valaient	d'valîtent	d'val'lont	d'val'laient	ont d'valé

www.learnbots.com

	Present	Imperfect	Past	Future	Conditional	Present Perfect
I	sors	sortais	sortis	sortithai	sortithais	sis sorti
You	sors	sortais	sortis	sortithas	sortithais	es sorti
He/ she/it	sort	sortait	sortit	sortitha	sortithait	est sorti
We	sortons	sortêmes	sortînmes	sortithons	sortithêmes	sommessortis
You	sortiz	sortêtes	sortîtes	sortithez	sortithêtes	êtes sortis
They	sortent	sortaient	sortîtent	sortithont	sortithaient	sont sortis

www.learnbots.com

	Present	Imperfect	Past	Future	Conditional	Present Perfect
I	crais	craîssais	crûs	craîtrai	craîtrais	ai crû
You	crais	craîssais	crûs	craîtras	craîtrais	as crû
He/she/it	craît	craîssait	crût	craîtra	craîtrait	a crû
We	craîssons	craîssêmes	creûnmes	craîtrons	craîtrêmes	avons crû
You	craîssiz	craîssêtes	crûtes	craîtrez	craîtrêtes	avez crû
They	craîssent	craîssaient	crûtent	craîtront	craîtraient	ont crû

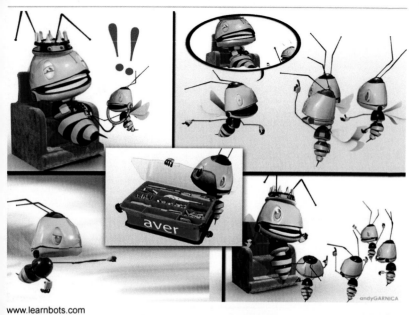

www.learnbots.com

	Present	Imperfect	Past	Future	Conditional	Present Perfect
I	ai	avais	eus	éthai	éthais	ai ieu
You	as	avais	eus	éthas	éthais	as ieu
He/ she/it	a	avait	eut	étha	éthait	a ieu
We	avons	avêmes	eûnmes	éthons	éthêmes	avons ieu
You	avez	avêtes	eûtes	éthez	éthêtes	avez ieu
They	ont	avaient	eûtent	éthont	éthaient	ont ieu

www.learnbots.com

	Present	Imperfect	Past	Future	Conditional	Present Perfect
I	ouai	ouïyais	ouïs	ouïthai	ouïthais	ai ouï
You	ouai	ouïyais	ouïs	ouïthas	ouïthais	ouïthait
He/she/it	as ouï	ouait	ouïyait	ouït	ouïtha	ouïthêmes
We	a ouï	ouïyons	ouïyêmes	ouïnmes	ouïthons	ouïthêtes
You	avons ouï	ouïyiz	ouïyêtes	ouîtes	ouïthez	ouïthaient
They	avez ouï	ouaient	ouïyaient	ouîtent	ouïthont	ont ouï

www.learnbots.com

	Present	Imperfect	Past	Future	Conditional	Present Perfect
I	saute	sautais	sautis	saut'tai	saut'tais	ai sauté
You	saute	sautais	sautis	saut'tas	saut'tais	as sauté
He/she/it	saute	sautait	sautit	saut'ta	saut'tait	a sauté
We	sautons	sautêmes	sautînmes	saut'tons	saut'têmes	avons sauté
You	sautez	sautêtes	sautîtes	saut'tez	saut'têtes	avez sauté
They	sautent	sautaient	sautîtent	saut'tont	saut'taient	ont saute

www.learnbots.com

	Present	Imperfect	Past	Future	Conditional	Present Perfect
I	codpîse	codpîsais	codpîsis	codpîs'sai	codpîs'sais	ai codpîsé
You	codpîse	codpîsais	codpîsis	codpîs'sas	codpîs'sais	as codpîsé
He/she/it	codpîse	codpîsait	codpîsit	codpîs'sa	codpîs'sait	a codpîse
We	codpîsons	codpîsêmes	codpîsînmes	codpîs'sons	codpîs'sêmes	avons codpîse
You	codpîsez	codpîsêtes	codpîsîtes	codpîs'sez	codpîs'sêtes	avez codpîsé
They	codpîsent	codpîsaient	codpîsîtent	codpîs'sont	codpîs'saient	ont codpîse

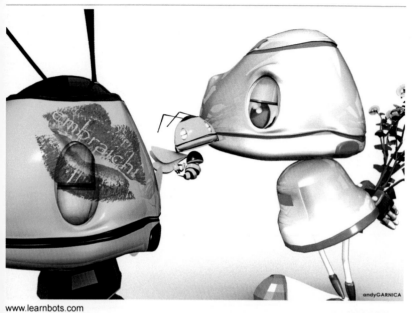

www.learnbots.com

	Present	Imperfect	Past	Future	Conditional	Present Perfect
I	embraiche	embraichais	embraichis	embraich'chai	embraich'chais	ai embraichi
You	embraiche	embraichais	embraichis	embraich'chas	embraich'chais	as embraichi
He/she/it	embraiche	embraichait	embraichit	embraich'cha	embraich'chait	a embraichi
We	embraichons	embraichêmes	embraichînmes	embraich'chons	embraich'chêmes	avons embraichi
You	embraichiz	embraichêtes	embraichîtes	embraich'chez	embraich'chêtes	avez embraichi
They	embraichent	embraichaient	embraichîtent	embraich'chont	embraich'chaient	ont embraichi

	Present	Imperfect	Past	Future	Conditional	Present Perfect
I	sai	savais	sus	saithai	saithais	ai seu
You	sai	savais	sus	saithas	saithais	as seu
He/she/it	sait	savait	sut	saitha	saithait	a seu
We	savons	savêmes	seûnmes	saithons	saithêmes	avons seu
You	savez	savêtes	sûtes	saithez	saithêtes	avez seu
They	savent	savaient	sûtent	saithont	saithaient	ont seu

www.learnbots.com

	Present	Imperfect	Past	Future	Conditional	Present Perfect
I	apprends	apprannais	apprîns	apprendrai	apprendrais	ai apprîns
You	apprends	apprannais	apprîns	apprendras	apprendrais	as apprîns
He/she/it	apprend	apprannait	apprînt	apprendra	apprendrait	a apprîns
We	apprannons	apprannêmes	apprînmes	apprendrons	apprendrêmes	avons apprîns
You	apprannez	apprannêtes	apprîntes	apprendrez	apprendrêtes	avez apprîns
They	apprannent	apprannaient	apprîntent	apprendront	apprendraient	ont apprîns

www.learnbots.com

	Present	Imperfect	Past	Future	Conditional	Present Perfect
I	mens	mentais	mentis	mentithai	mentithais	ai menti
You	mens	mentais	mentis	mentithas	mentithais	as menti
He/she/it	ment	mentait	mentit	mentitha	mentithait	a menti
We	mentons	mentêmes	mentînmes	mentithons	mentithêmes	avons menti
You	mentiz	mentêtes	mentîtes	mentithez	mentithaient	avez menti
They	mentent	mentaient	mentîtent	mentithont	mentithêtes	ont menti

andyGARNiCA

www.learnbots.com

	Present	Imperfect	Past	Future	Conditional	Present Perfect
I	saque	satchais	satchis	saqu'thai	saqu'thais	ai satchi
You	saque	satchais	satchis	saqu'thas	saqu'thais	as satchi
He/she/it	saque	satchait	satchit	saqu'tha	saqu'thait	a satchi
We	satchons	satchêmes	satchînmes	saqu'thons	saqu'thêmes	avons satchi
You	satchiz	satchêtes	satchîtes	saqu'thez	saqu'thêtes	avez satchi
They	saquent	satchaient	satchîtent	saqu'thont	saqu'thaient	ont satchi

andyGARNICA

www.learnbots.com

	Present	Imperfect	Past	Future	Conditional	Present Perfect
I	pèrds	pèrdais	pèrdis	pèrdrai	pèrdrais	ai pèrdu
You	pèrds	pèrdais	pèrdis	pèrdrai	pèrdrais	as pèrdu
He/ she/it	pèrd	pèrdait	pèrdit	pèrdra	pèrdrait	a pèrdu
We	pèrdons	pèrdêmes	pèrdînmes	pèrdrons	pèrdrêmes	avons pèrdu
You	pèrdez	pèrdêtes	pèrdîtes	pèrdrez	pèrdrêtes	avez pèrdu
They	pèrdent	pèrdaient	pèrdîtent	pèrdront	pèrdraient	ont pèrdu

www.learnbots.com

	Present	Imperfect	Past	Future	Conditional	Present Perfect
I	aime	aimais	aimis	aim'thai	aim'thais	ai aime
You	aime	aimais	aimis	aim'thas	aim'thais	as aime
He/she/it	aime	aimait	aimit	aim'tha	aim'thait	a aime
We	aimons	aimêmes	aimînmes	aim'thons	aim'thêmes	avons aime
You	aimez	aimêtes	aimîtes	aim'thez	aim'thêtes	avez aime
They	aiment	aimaient	aimîtent	aim'thont	aim'thaient	ont aime

andyGARNICA

www.learnbots.com

	Present	Imperfect	Past	Future	Conditional	Present Perfect
I	fais	faîthais	fis	f'thai	f'thais	ai fait
You	fais	faîthais	fis	f'thas	f'thais	as fait
He/she/it	fait	faîthait	fit	f'tha	f'thait	a fait
We	faîthons	faîthêmes	fînmes	f'thons	f'thêmes	avons fait
You	faites	faîthêtes	fîtes	f'thez	f'thêtes	avez fait
They	font	faîthaient	fîtent	f'thont	f'thaient	ont fait

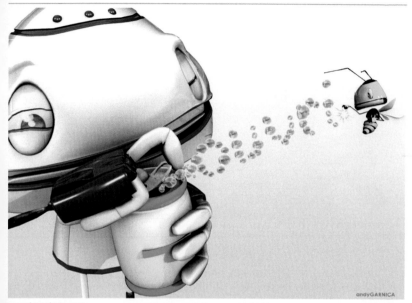

www.learnbots.com

	Present	Imperfect	Past	Future	Conditional	Present Perfect
I	ouvre	ouvrais	ouvris	ouvréthai	ouvréthais	ai ouvèrt
You	ouvre	ouvrais	ouvris	ouvréthas	ouvréthais	as ouvèrt
He/ she/it	ouvre	ouvrait	ouvrit	ouvrétha	ouvréthait	a ouvèrt
We	ouvrons	ouvrêmes	ouvrînmes	ouvréthons	ouvréthêmes	avons ouvèrt
You	ouvriz	ouvrêtes	ouvrîtes	ouvréthez	ouvréthêtes	avez ouvèrt
They	ouvrent	ouvraient	ouvrîtent	ouvréthont	ouvréthaient	ont ouvèrt

www.learnbots.com

	Present	Imperfect	Past	Future	Conditional	Present Perfect
I	dêpaûque	dêpaûtchais	dêpaûtchis	dêpaûqu'thai	dêpaûqu'thais	ai dêpaûtchi
You	dêpaûque	dêpaûtchais	dêpaûtchis	dêpaûqu'thas	dêpaûqu'thais	as dêpaûtchi
He/she/it	dêpaûque	dêpaûtchait	dêpaûtchit	dêpaûqu'tha	dêpaûqu'thait	a dêpaûtchi
We	dêpaûtchons	dêpaûtchêmes	dêpaûtchînmes	dêpaûqu'thons	dêpaûqu'thêmes	avons dêpaûtchi
You	dêpaûtchiz	dêpaûtchêtes	dêpaûtchîtes	dêpaûqu'thez	dêpaûqu'thêtes	avez dêpaûtchi
They	dêpaûquent	dêpaûtchaient	dêpaûtchîtent	dêpaûqu'thont	dêpaûqu'thaient	ont dêpaûtchi

www.learnbots.com

	Present	Imperfect	Past	Future	Conditional	Present Perfect
I	peinds	peingnais	peingnis	peindrai	peindrais	ai peint
You	peinds	peingnais	peingnis	peindras	peindrais	as peint
He/she/it	peind	peingnait	peingnit	peindra	peindrait	a peint
We	peingnons	peingnêmes	peingnînmes	peindrons	peindrêmes	avons peint
You	peingnez	peingnêtes	peingnîtes	peindrez	peindrêtes	avez peint
They	peindent	i'peingnaient	peingnîtent	peindront	peindraient	ont peint

www.learnbots.com

	Present	Imperfect	Past	Future	Conditional	Present Perfect
I	paie	payais	payis	paiethai	paiethais	ai payi
You	paie	payais	payis	paiethas	paiethais	as payi
He/she/it	paie	payait	payit	paietha	paiethait	a payi
We	payons	payêmes	payînmes	paiethons	paiethêmes	avons payi
You	payiz	payêtes	payîtes	paiethez	paiethêtes	avez payi
They	paient	payaient	payîtent	paiethont	paiethaient	ont payi

www.learnbots.com

	Present	Imperfect	Past	Future	Conditional	Present Perfect
I	joue	jouais	jouis	jouêthai	jouêthais	ai joué
You	joue	jouais	jouis	jouêthas	jouêthais	as joué
He/she/it	joue	jouait	jouit	jouêtha	jouêthait	a joué
We	jouons	jouêmes	jouînmes	jouêthons	jouêthêmes	avons joué
You	jouez	jouêtes	jouîtes	jouêthez	jouêthêtes	avez joué
They	jouent	jouaient	jouîtent	jouêthont	jouêthaient	ont joué

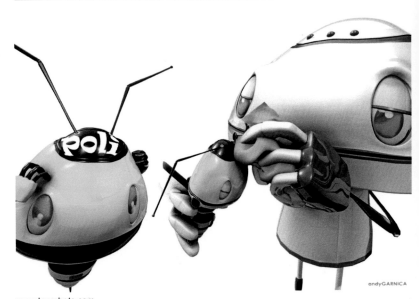

www.learnbots.com

	Present	Imperfect	Past	Future	Conditional	Present Perfect
I	polis	polissais	polis	polithai	polithais	ai poli
You	polis	polissais	polis	polithas	polithais	as poli
He/she/it	polit	polissait	polit	politha	polithait	a poli
We	polissons	polissêmes	polissînmes	polithons	polithêmes	avons poli
You	polissiz	polissêtes	polîtes	polithez	polithêtes	avez poli
They	polissent	polissaient	polîtent	polithont	polithaient	ont poli

andyGARNICA

www.learnbots.com

	Present	Imperfect	Past	Future	Conditional	Present Perfect
I	mets	mettais	mîns	mettrai	mettrais	ai mîns
You	mets	mettais	mîns	mettras	mettrais	as mîns
He/she/it	met	mettait	mînt	mettra	mettrait	a mîns
We	mettons	mettêmes	mînmes	mettrons	mettrêmes	avons mîns
You	mettez	mettêtes	mîntes	mettrez	mettrêtes	avez mîns
They	mettent	mettaient	mîntent	mettront	mettraient	ont mîns

andyGARNICA

www.learnbots.com

	Present	Imperfect	Past	Future	Conditional	Present Perfect
I	èrnonche	èmonchais	èrnonchis	èrnonch'chai	èmonch'chais	ai r'nonchi
You	r'nonche	r'nonchais	r'nonchis	r'nonch'chas	r'nonch'chais	as r'nonchi
He/she/it	r'nonche	r'nonchait	r'nonchit	r'nonch'cha	r'nonch'chait	a r'nonchi
We	èmonchons	èmonchêmes	èmonchînmes	èmonch'chons	èmonch'chêmes	avons r'nonchi
You	r'nonchiz	r'nonchêtes	r'nonchîtes	r'nonch'chez	r'nonch'chêtes	avez r'nonchi
They	r'nonchent	r'nonchaient	r'nonchîtent	r'nonch'chont	r'nonch'chaient	r'ont r'nonchi

www.learnbots.com

	Present	Imperfect	Past	Future	Conditional	Present Perfect
I						
You						
He/ she/it	tchait d'la plyie	tchiyait d'la plyie	tchit d'la plyie	tchèrra d'la plyie	tchèrrait d'la plyie	tchée d'la plyie
We						
You						
They						

www.learnbots.com

	Present	Imperfect	Past	Future	Conditional	Present Perfect
I	lié	liêthais	lius	liéthai	liéthais	liéthais
You	ai liu	lié	liêthais	lius	liéthai	liéthais
He/she/it	as liu	liet	liêthais	liut	liéthas	liéthait
We	a liu	liêthons	liêthait	lieûmnes	liétha	liéthêmes
You	avons liu	liêthiz	liêthêmes	liûtes	liéthons	liéthêtes
They	avez liu	liêthent	liêthêtes	liûtent	liéthez	ont liu

www.learnbots.com

	Present	Imperfect	Past	Future	Conditional	Present Perfect
I	èrchai	èrchévais	èrchus	chévthai	èrchévthais	ai chu
You	r'chai	r'chévais	r'chus	r'chévthas	r'chévthais	as r'chu
He/she/it	r'chait	r'chévait	r'chut	r'chévtha	r'chévthait	a r'chu
We	èrchévons	èrchévêmes	èrchûmes	èrchévthons	èrchévthêmes	avons r'chu
You	r'chévez	r'chévêtes	r'chûtes	r'chévthez	r'chévthêtes	avez r'chu
They	r'chaivent	r'chévaient	r'chûtent	r'chévthont	r'chévthont	ont r'chu

06/03/2982 èrcorder

andyGARNICA

www.learnbots.com

	Present	Imperfect	Past	Future	Conditional	Present Perfect
I	èrcorde	èrcordais	èrcordis	èrcordéthai	èrcordéthais	ai cordé
You	r'corde	r'cordais	r'cordis	r'cordéthas	r'cordéthais	as r'cordé
He/she/it	r'corde	r'cordait	r'cordit	r'cordétha	r'cordéthait	a r'cordé
We	èrcordons	èrcordêmes	èrcordînmes	èrcordéthons	èrcordéthêmes	avons cordé
You	r'cordez	r'cordêtes	r'cordîtes	r'cordéthez	r'cordéthêtes	avez r'cordé
They	r'cordent	r'cordaient	r'cordîtent	r'cordéthont	r'cordéthaient	ont r'corde

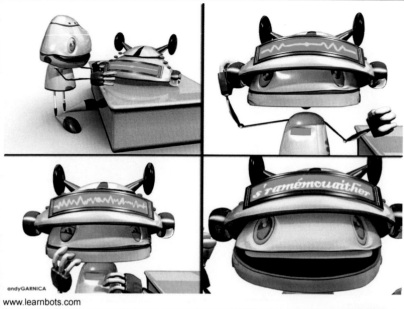

andyGARNICA

www.learnbots.com

	Present	Imperfect	Past	Future	Conditional	Present Perfect
I	m'ramémouaithe	m'ramémouaithais	m'ramémouaithis	m'ramémouaith'thai	m'ramémouaith'thais	m'sis ramémouaithé
You	t'ramémouaithe	t'ramémouaithais	t'ramémouaithis	t'ramémouaith'thas	t'ramémouaith'thais	t'es ramémouaithé
He/she/it	s'ramémouaithe	s'ramémouaithait	s'ramémouaithit	s'ramémouaith'tha	s'ramémouaith'thait	s'est ramémouaithé
We	nos ramémouaithons	nos ramémouaithêmes	nos ramémouaithînmes	nos ramémouaith'thons	nos ramémouaith'thêmes	nos sommes ramémouaithé
You	vos ramémouaithez	vos ramémouaithêtes	vos ramémouaithîtes	vos ramémouaith'thez	vos ramémouaith'thêtes	vos êtes ramémouaithé
They	lus ramémouaithent	lus ramémouaithaient	lus ramémouaithîtent	lus ramémouaith'thont	lus ramémouaith'thaient	lus sont ramémouaithé

www.learnbots.com

	Present	Imperfect	Past	Future	Conditional	Present Perfect
I	èrpathe	èrpathais	èrpathis	èrpath'thai	èrpath'thais	ai pathé
You	r'pathe	r'pathais	r'pathis	r'path'thas	r'path'thais	as r'pathé
He/she/it	r'pathe	r'pathait	r'pathit	r'path'tha	r'path'thait	a r'pathé
We	èrpathons	èrpathêmes	èrpathînmes	èrpath'thons	èrpath'thêmes	avons pathé
You	r'pathez	r'pathêtes	r'pathîtes	r'path'thez	r'path'thêtes	avez r'pathé
They	r'pathent	r'pathaient	r'pathîtent	r'path'thont	r'path'thaient	ont r'pathe

èrvénîn

	Present	Imperfect	Past	Future	Conditional	Present Perfect
I	èrveins	èrvénais	èrvîns	èrveindrai	èrveindrais	sis èrvénu
You	èrveins	èrvénais	èrvîns	èrveindras	èrveindrais	es èrvénu
He/she/it	èrveint	èrvénait	èrvînt	èrveindra	èrveindrait	est èrvénu
We	èrv'nons	èrvénêmes	èrvînmes	èrveindrons	èrveindrêmes	sommes èrvénus
You	èrv'nez	èrvénêtes	èrvîntes	èrveindrez	èrveindrêtes	êtes èrvénus
They	èrveinnent	èrvénaient	èrvîntent	èrveindront	èrveindraient	sont èrvénus

www.learnbots.com

	Present	Imperfect	Past	Future	Conditional	Present Perfect
I	couors	couothais	couothis	couôrrai	couôrrais	ai couothu
You	couors	couothais	couothis	couôrras	couôrrais	as couothu
He/ she/it	couort	couothait	couothit	couôrra	couôrrait	a couothu
We	couothons	couothêmes	couothînmes	couôrrons	couôrrêmes	avons couothu
You	couothez	couothêtes	couothîtes	couôrrez	couôrrêtes	avez couothu
They	couothent	couothaient	couothîtent	couôrront	couôrraient	ont couothu

andyGARNICA

www.learnbots.com

	Present	Imperfect	Past	Future	Conditional	Present Perfect
I	brai	briyais	briyis	braithai	braithais	ai brai
You	brai	briyais	briyis	braithas	braithais	as brai
He/she/it	brait	briyait	briyit	braitha	braithait	a brai
We	briyons	briyêmes	briyînmes	braithons	braithêmes	avons brai
You	briyiz	briyêtes	briyîtes	braithez	braithêtes	avez brai
They	braient	briyaient	briyîtent	braithont	braithaient	ont brai

www.learnbots.com

	Present	Imperfect	Past	Future	Conditional	Present Perfect
I	chèrche	chèrchais	chèrchis	chèrchéthai	chèrchéthais	ai chèrchi
You	chèrche	chèrchais	chèrchis	chèrchéthas	chèrchéthais	as chèrchi
He/she/it	chèrche	chèrchait	chèrchit	chèrchétha	chèrchéthait	a chèrchi
We	chèrchons	chèrchêmes	chèrchînmes	chèrchéthons	chèrchéthêmes	avons chèrchi
You	chèrchiz	chèrchêtes	chèrchîtes	chèrchéthez	chèrchéthêtes	avez chèrchi
They	chèrchent	chèrchaient	chèrchîtent	chèrchéthont	chèrchéthaient	ont chèrchi

www.learnbots.com

	Present	Imperfect	Past	Future	Conditional	Present Perfect
I	vai	viyais	vis	vèrrai	vèrrais	ai veu
You	vai	viyais	vis	vèrras	vèrrais	vèrrait
He/she/it	as veu	vait	viyait	vit	vèrra	vèrrêmes
We	a veu	viyons	viyêmes	vînmes	vèrrons	vèrrêtes
You	avons veu	viyiz	viyêtes	vîtes	vèrrez	vèrraient
They	avez veu	vaient	viyaient	vîtent	vèrront	vèrraient ont veu

s'pather

andyGARNICA

	Present	Imperfect	Past	Future	Conditional	Present Perfect
I	s'pathe	s'pathais	s'pathis	s'path'thai	s'path'thais	ai s'pathé
You	s'pathe	s'pathais	s'pathis	s'path'thas	s'path'thais	as s'pathé
He/she/it	s'pathe	s'pathait	s'pathit	s'path'tha	s'path'thait	a s'pathé
We	s'pathons	s'pathêmes	s'pathînmes	s'path'thons	s'path'thêmes	avons s'pathé
You	s'pathez	s'pathêtes	s'pathîtes	s'path'thez	s'path'thêtes	avez s'pathé
They	s'pathent	s'pathaient	s'pathîtent	s'path'thont	s'path'thaient	ont s'pathé

www.learnbots.com

	Present	Imperfect	Past	Future	Conditional	Present Perfect
I	mouontre	mouontrais	mouontris	mouontréthai	mouontréthais	ai mouontré
You	mouontre	mouontrais	mouontris	mouontréthas	mouontréthais	as mouontré
He/she/it	mouontre	mouontrait	mouontrit	mouontrétha	mouontréthait	a mouontre
We	mouontrons	mouontrêmes	mouontrînmes	mouontréthons	mouontréthêmes	avons mouontre
You	mouontrez	mouontrêtes	mouontrîtes	mouontréthez	mouontréthêtes	avez mouontre
They	mouontrent	mouontraient	mouontrîtent	mouontréthont	mouontréthaient	ont mouontre

andyGARNICA

www.learnbots.com

	Present	Imperfect	Past	Future	Conditional	Present Perfect
I	lave	lavais	lavis	lav'thai	lav'thais	sis lavé
You	lave	lavais	lavis	lav'thas	lav'thais	es lavé
He/she/it	lave	lavait	lavit	lav'tha	lav'thai	est lavé
We	lavons	lavêmes	lavînmes	lav'thons	lav'thêmes	sommes lavés
You	lavez	lavêtes	lavîtes	lav'thez	lav'thêtes	êtes lavés
They	lavent	lavaient	lavîtent	lav'thont	lav'thaient	sont lavés

www.learnbots.com

	Present	Imperfect	Past	Future	Conditional	Present Perfect
I	chante	chantais	chantis	chant'tai	chant'tais	ai chanté
You	chante	chantais	chantis	chant'tas	chant'tais	as chanté
He/she/it	chante	chantait	chantit	chant'ta	chant'tait	a chanté
We	chantons	chantêmes	chantînmes	chant'tons	chant'têmes	avons chanté
You	chantez	chantêtes	chantîtes	chant'tez	chant'têtes	avez chanté
They	chantent	chantaient	chantîtent	chant'tont	chant'taient	ont chanté

www.learnbots.com

	Present	Imperfect	Past	Future	Conditional	Present Perfect
I	m'assied	m'assiévais	m'assiévis	m'assiéthai	m'assiéthais	m'sis assis
You	t'assied	t'assiévais	t'assiévis	t'assiéthas	t'assiéthais	t'es assis
He/ she/it	s'assied	s'assiévait	s'assiévit	s'assiétha	s'assiéthait	s'est assis
We	nos assiévons	nos assiévêmes	nos assiévêmes	nos assiéthons	nos assiéthêmes	nos sommes assis
You	sommes assis	vis assiévez	vis assiévêtes	vis assiévîtes	vis assiéthez	vis assiéthêtes
They	vis êtes assis	lus assièvent	lus assiévaient	lus assiévîtent	lus assiéthont	lus assiéthaient

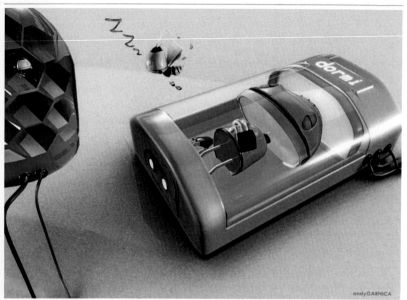

www.learnbots.com

	Present	Imperfect	Past	Future	Conditional	Present Perfect
I	sover	hadde sovet	sov	vil sove	ville sove	har sovet
You	sover	hadde sovet	sov	vil sove	ville sove	har sovet
He/she/it	sover	hadde sovet	sov	vil sove	ville sove	har sovet
We	sover	hadde sovet	sov	vil sove	ville sove	har sovet
You	sover	hadde sovet	sov	vil sove	ville sove	har sovet
They	sover	hadde sovet	sov	vil sove	ville sove	har sovet

www.learnbots.com

	Present	Imperfect	Past	Future	Conditional	Present Perfect
I	stèrte	stèrtais	stèrtis	stèrtéthai	stèrtéthais	ai stèrté
You	stèrte	stèrtais	stèrtis	stèrtéthas	stèrtéthais	as stèrté
He/she/it	stèrte	stèrtait	stèrtit	stèrtétha	stèrtéthait	a stèrté
We	stèrtons	stèrtêmes	stèrtînmes	stèrtéthons	stèrtéthêmes	avons stèrté
You	stèrtez	stèrtêtes	stèrtîtes	stèrtéthez	stèrtéthêtes	avez stèrté
They	stèrtent	stèrtaient	stèrtîtent	stèrtéthont	stèrtéthaient	ont stèrte

www.learnbots.com

	Present	Imperfect	Past	Future	Conditional	Present Perfect
I	arrête	arrêtais	arrêtis	arrêt'tai	arrêt'tais	ai arrêté
You	arrête	arrêtais	arrêtis	arrêt'tas	arrêt'tais	as arrêté
He/she/it	arrête	arrêtait	arrêtit	arrêt'ta	arrêt'tait	a arrêté
We	arrêtons	arrêtêmes	arrêtînmes	arrêt'tons	arrêt'têmes	avons arrêté
You	arrêtez	ous arrêtêtes	ous arrêtîtes	ous arrêt'tez	ous arrêt'têtes	avez arrêté
They	arrêtent	arrêtaient	arrêtîtent	arrêt'tont	arrêt'taient	ont arrête

www.learnbots.com

	Present	Imperfect	Past	Future	Conditional	Present Perfect
I	m'traûle	m'traûlais	m'traûlis	m'traûl'lai	m'traûl'lais	m'sis traûlé
You	t'traûle	t'traûlais	t'traûlis	t'traûl'las	t'traûl'lais	t'es traûlé
He/she/it	s'traûle	s'traûlait	s'traûlit	s'traûl'la	s'traûl'lait	s'est traûlé
We	traûlons	traûlêmes	traûlînmes	traûl'lons	traûl'lêmes	sommes traûlés
You	traûlez	traûlêtes	traûlîtes	traûl'lez	traûl'lêtes	etes traûlés
They	traûlent	traûlaient	traûlîtent	traûl'lont	traûl'laient	sont traûlés

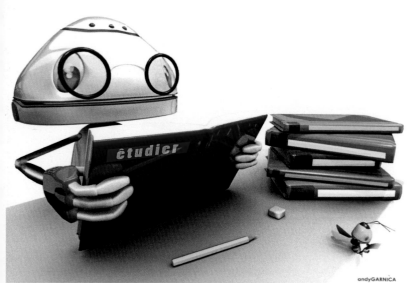

www.learnbots.com

	Present	Imperfect	Past	Future	Conditional	Present Perfect
I	êtudie	êtudiais	êtudyis	êtudiêthai	êtudiêthais	ai êtudié
You	êtudie	êtudiais	êtudyis	êtudiêthas	êtudiêthais	as êtudié
He/she/it	êtudie	êtudiait	êtudyit	êtudiêtha	êtudiêthait	a êtudié
We	êtudions	êtudêmes	êtudyînmes	êtudiêthons	êtudiêthêmes	avons êtudié
You	êtudiez	êtudiêtes	êtudyîtes	êtudiêthez	êtudiêthêtes	avez êtudié
They	êtudient	êtudiaient	êtudyîtent	êtudiêthont	êtudiêthaient	ont êtudie

www.learnbots.com

	Present	Imperfect	Past	Future	Conditional	Present Perfect
I	nage	nageais	nagis	nag'geai	nag'geais	ai nagi
You	nage	nageais	nagis	nag'geas	nag'geais	as nagi
He/she/it	nage	nageait	nagit	nag'gea	nag'geait	a nagi
We	nageons	nagêmes	nagînmes	nag'geons	nag'gêmes	avons nagi
You	nagiz	nagêtes	nagîtes	nag'gez	nag'gêtes	avez nagi
They	nagent	nageaient	nagîtent	nag'geont	nag'geaient	ont nagi

www.learnbots.com

	Present	Imperfect	Past	Future	Conditional	Present Perfect
I	pâle	pâlais	pâlis	pâl'lai	pâl'lais	ai pâlé
You	pâle	pâlais	pâlis	pâl'las	pâl'lais	as pâlé
He/she/it	pâle	pâlait	pâlit	pâl'la	pâl'lait	a pâlé
We	pâlons	pâlêmes	pâlînmes	pâl'lons	pâl'lêmes	avons pâlé
You	pâlez	pâlêtes	pâlîtes	pâl'lez	pâl'lêtes	avez pâlé
They	pâlent	pâlaient	pâlîtent	pâl'lont	pâl'laient	ont pâle

www.learnbots.com

	Present	Imperfect	Past	Future	Conditional	Present Perfect
I	goûote	gouôtais	gouôtis	gouôt'tai	gouôt'tais	ai gouôté
You	goûote	gouôtais	gouôtis	gouôt'tas	gouôt'tais	as gouôté
He/she/it	goûote	gouôtait	gouôtit	gouôt'ta	gouôt'tait	a gouôté
We	gouôtons	gouôtêmes	gouôtînmes	gouôt'tons	gouôt'têmes	avons gouôté
You	gouôtez	gouôtêtes	gouôtîtes	gouôt'tez	gouôt'têtes	avez gouôté
They	gouôtent	gouôtaient	gouôtîtent	gouôt'tont	gouôt'taient	ont gouôté

www.learnbots.com

	Present	Imperfect	Past	Future	Conditional	Present Perfect
I	teste	testais	testis	testéthai	testéthais	ai testé
You	teste	testais	testis	testéthas	testéthais	as testé
He/she/it	teste	testait	testit	testétha	testéthait	a testé
We	testons	testêmes	testînmes	testéthons	testéthêmes	avons testé
You	testez	testaient	testîtes	testéthez	testéthêtes	avez testé
They	testent	testêtes	testîtent	testéthont	testéthaient	ont teste

www.learnbots.com

	Present	Imperfect	Past	Future	Conditional	Present Perfect
I	pense	pensais	pensis	pens'sai	pens'sais	ai pensé
You	pense	pensais	pensis	pens'sas	pens'sais	as pensé
He/she/it	pense	pensait	pensit	pens'sa	pens'sait	a pensé
We	pensons	pensêmes	pensînmes	pens'sons	pens'sêmes	avons pensé
You	pensez	pensêtes	pensîtes	pens'sez	pens'sêtes	avez pensé
They	pensent	pensaient	pensîtent	pens'sont	pens'saient	ont pense

www.learnbots.com

	Present	Imperfect	Past	Future	Conditional	Present Perfect
I	viage	viageais	viagis	viag'geai	viag'geais	ai viagi
You	viage	viageais	viagis	viag'geas	viag'geais	as viagi
He/she/it	viage	viageait	viagit	viag'gea	viag'geait	a viagi
We	viageons	viagêmes	viagînmes	viag'geons	viag'gêmes	avons viagi
You	viagiz	viagêtes	viagîtes	viag'gez	viag'gêtes	avez viagi
They	viagent	viageaient	viagîtent	viag'geont	viag'geaient	ont viagi

andyGARNICA

www.learnbots.com

	Present	Imperfect	Past	Future	Conditional	Present Perfect
I	droque	drotchais	drotchis	droqu'thai	droqu'thais	ai drotchi
You	droque	drotchais	drotchis	droqu'thas	droqu'thais	as drotchi
He/she/it	droque	drotchait	drotchit	droqu'tha	droqu'thait	a drotchi
We	drotchons	drotchêmes	drotchînmes	droqu'thons	droqu'thêmes	avons drotchi
You	drotchiz	drotchêtes	drotchîtes	droqu'thez	droqu'thêtes	avez drotchi
They	droquent	drotchaient	drotchîtent	droqu'thont	droqu'thaient	ont drotchi

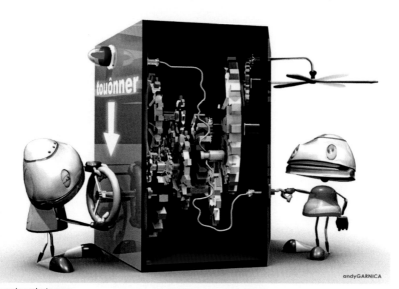

www.learnbots.com

	Present	Imperfect	Past	Future	Conditional	Present Perfect
I	touônne	touônnais	touônnis	touônn'nai	touônn'nais	ai touônné
You	touônne	touônnais	touônnis	touônn'nas	touônn'nais	as touônné
He/she/it	touônne	touônnait	touônnit	touônn'na	touônn'nait	a touônne
We	touônnons	touônnêmes	touônnînmes	touônn'nons	touônn'nêmes	avons touônne
You	touônnez	touônnêtes	touônnîtes	touônn'nez	touônn'nêtes	avez touônné
They	touônnent	touônnaient	touônnîtent	touônn'nont	touônn'naient	ont touônne

www.learnbots.com

	Present	Imperfect	Past	Future	Conditional	Present Perfect
I	espéthe	espéthais	espéthis	espéth'thai	espéth'thais	ai espéthé
You	espéthe	espéthais	espéthis	espéth'thas	espéth'thais	as espéthé
He/she/it	espéthe	espéthait	espéthit	espéth'tha	espéth'thait	a espéthe
We	espéthons	espéthêmes	espéthînmes	espéth'thons	espéth'thêmes	avons espéthe
You	espéthez	espéthêtes	espéthîtes	espéth'thez	espéth'thêtes	avez espéthé
They	espéthent	espéthaient	espéthîtent	espéth'thont	espéth'thaient	ont espéthe

www.learnbots.com

	Present	Imperfect	Past	Future	Conditional	Present Perfect
I	m'rêvil'ye	m'rêvilyais	m'rêvilyis	m'rêvil'lai	m'rêvil'lais	m'sis rêvilyi
You	t'rêvil'ye	t'rêvilyais	t'rêvilyis	t'rêvil'las	t'rêvil'lais	t'es rêvilyi
He/she/it	s'rêvil'ye	s'rêvilyait	s'rêvilyit	s'rêvil'la	s'rêvil'lait	s'est rêvilyi
We	nos rêvilyons	nos rêvilyêmes	nos rêvilyînmes	nos rêvil'lons	nos rêvil'lêmes	nos sommes rêvilyis
You	vos rêvilyiz	vos rêvilyêtes	vos rêvilyîtes	vos rêvil'lez	vos rêvil'lêtes	vos etes rêvilyis
They	lus rêvilyent	lus rêvilyaient	lus rêvilyîtent	lus rêvil'lont	lus rêvil'laient	lus sont rêvilyis

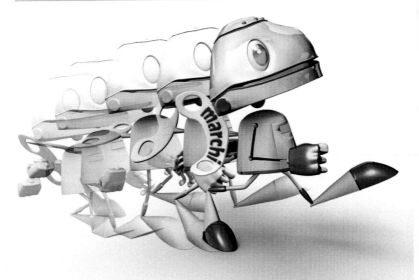

www.learnbots.com

	Present	Imperfect	Past	Future	Conditional	Present Perfect
I	marche	marchais	marchis	marchéthai	marchéthais	ai marchi
You	marche	marchais	marchis	marchéthas	marchéthais	as marchi
He/she/it	marche	marchait	marchit	marchétha	marchéthait	a marchi
We	marchons	marchêmes	marchînmes	marchéthons	marchéthêmes	avons marchi
You	marchiz	marchêtes	marchîtes	marchéthez	marchéthêtes	avez marchi
They	marchent	marchaient	marchîtent	marchéthont	marchéthaient	ont marchi

andyGARNICA

www.learnbots.com

	Present	Imperfect	Past	Future	Conditional	Present Perfect
I	veurs	voulais	voulis	voudrai	voudrais	ai voulu
You	veurs	voulais	voulis	voudras	voudrais	as voulu
He/she/it	veurt	voulait	voulit	voudra	voudrait	a voulu
We	voulons	voulêmes	voulînmes	voudrons	voudrêmes	avons voulu
You	voulez	voulêtes	voulîtes	voudrez	voudrêtes	avezvoulu
They	veulent	voulaient	voulîtent	voudront	voudraient	ont voulu

www.learnbots.com

	Present	Imperfect	Past	Future	Conditional	Present Perfect
I	châque	châtchais	châtchis	châqu'thai	châqu'thais	ai châtchi
You	châque	châtchais	châtchis	châqu'thas	châqu'thais	as châtchi
He/she/it	châque	châtchait	châtchit	châqu'tha	châqu'thait	a châtchi
We	châtchons	châtchêmes	châtchînmes	châqu'thons	châqu'thêmes	avons châtchi
You	châtchiz	châtchêtes	châtchîtes	châqu'thez	châqu'thêtes	avez châtchi
They	châquent	châtchaient	châtchîtent	châqu'thont	châqu'thaient	ont châtchi

www.learnbots.com

	Present	Imperfect	Past	Future	Conditional	Present Perfect
I	èrgarde	èrgardais	èrgardis	èrgardéthai	èrgardéthais	ai gardé
You	r'garde	r'gardais	r'gardis	r'gardéthas	r'gardéthais	as r'gardé
He/ she/it	r'garde	r'gardait	r'gardit	r'gardétha	r'gardéthait	a r'garde
We	èrgardons	èrgardêmes	èrgardînmes	èrgardéthons	ergardéthêmes	avons r'garde
You	r'gardez	r'gardêtes	r'gardîtes	r'gardéthez	r'gardéthêtes	avez r'gardé
They	r'gardent	r'gardaient	r'gardîtent	r'gardéthont	r'gardéthaient	ont r'garde

andyGARNICA

www.learnbots.com

	Present	Imperfect	Past	Future	Conditional	Present Perfect
I	gângne	gângnais	gângnis	gângnéthai	gângnéthais	ai gângni
You	gângne	gângnais	gângnis	gângnéthas	gângnéthais	as gângni
He/she/it	gângne	gângnait	gângnit	gângnétha	gângnéthait	a gângni
We	gângnons	gângnêmes	gângnînmes	gângnéthons	gângnéthêmes	avons gângni
You	gângniz	gângnêtes	gângnîtes	gângnéthez	gângnéthêtes	avez gângni
They	gângnent	gângnaient	gângnîtent	gângnéthont	gângnéthaient	ont gângni

andyGARNICA

www.learnbots.com

	Present	Imperfect	Past	Future	Conditional	Present Perfect
I	êcris	êcrivais	êcrivis	êcrithai	êcrithais	ai êcrit
You	êcris	êcrivais	êcrivis	êcrithas	êcrithais	as êcrit
He/she/it	êcrit	êcrivait	êcrivit	êcritha	êcrithait	a êcrit
We	êcrivons	êcrivêmes	êcrivînmes	êcrithons	êcrithêmes	avons êcrit
You	êcrivez	êcrivêtes	êcrivîtes	êcrithez	êcrithêtes	avez êcrit
They	êcrivent	êcrivaient	êcrivîtent	êcrithont	êcrithaient	ont êcrit